Mon livre de français

Book One

....

Je m'appelle

....

Je suis en

CE1
CE2
CM1
CM2

Foxi, the fox, is hiding throughout this book.
Write the numbers of the 12 pages where he is hiding.

i

l'alphabet français

Aa l'**a**vion

Bb le **b**allon

Cc le **c**ochon

Dd le **d**rapeau

Ee l'**e**scargot

Ff la **f**raise

Gg la **g**lace

Hh le **h**érisson

Ii l'**i**gloo

Jj la **j**onquille

Kk le **k**angourou

Ll le **l**ion

Mm le **m**outon

Nn le **n**ounours

Oo l'**o**range

Pp la **p**omme

Qq la **q**uille

Rr le **r**enard

Ss le **s**oleil

Tt la **t**omate

Uu l'**u**nivers

Vv la **v**ache

Ww le **w**agon

Yy le **y**oyo

Xx le **x**ylophone

Zz le **z**èbre

les nombres

1 un	**2** deux	**3** trois	**4** quatre	**5** cinq
6 six	**7** sept	**8** huit	**9** neuf	**10** dix
11 onze	**12** douze	**13** treize	**14** quatorze	**15** quinze
16 seize	**17** dix-sept	**18** dix-huit	**19** dix-neuf	**20** vingt
21 vingt et un	**22** vingt-deux	**23** vingt-trois	**24** vingt-quatre	**25** vingt-cinq
26 vingt-six	**27** vingt-sept	**28** vingt-huit	**29** vingt-neuf	**30** trente

40 quarante	**50** cinquante	**60** soixante	**70** soixante-dix	**80** quatre-vingts

Book One Contents

1 les couleurs (i) (colours)	red yellow pink green blue
2 les couleurs (ii) (colours)	purple black grey orange brown
3 song (karaoke 53)	**Meunier tu dors** (Traditional) Miller you're asleep
4 les nombres (i) (numbers)	1 2 3 4 5 6 7 8 9 10
5 les nombres (ii) (numbers)	11 12 13 14 15 16 17 18 19 20
6 song (karaoke 54)	**l'alphabet français** (Traditional) The French alphabet
7 picture (i)	l'alphabet français + French words
8 game	letters of the alphabet and colours
9 les révisions	pages 1 - 5
10 song (karaoke 55)	**Bonjour ma cousine** (Traditional) Hello (my) cousin
11 les vêtements (i) (clothes)	jumper jeans skirt shirt dress
12 les vêtements (ii) (clothes)	tee-shirt shoe trainer sock trousers
13 song (karaoke 56)	**Joyeux anniversaire** (Traditional) Happy Birthday
14 J'ai faim. (i) (I'm hungry)	butter cheese bread milk jam
15 J'ai faim. (ii) (I'm hungry)	honey egg yoghurt chips pasta
16 map (i)	Map of the France
17 l'apostrophe	French words beginning with a vowel
18 song (karaoke 57)	**Il était un petit navire** (Traditional) There once was a little ship
19 les révisions	pages 11 - 15
20 song (karaoke 58)	**Il court, il court le furet** (Traditional) He runs, he runs, the ferret
21 les animaux (i) (animals)	cat dog fish rabbit hamster
22 les animaux (ii) (animals)	sheep pig cow hen horse
23 rap (karaoke 59 spoken 60)	**Je fais les courses** (Skoldo) I'm shopping
24 les fruits (fruit)	banana apple pear strawberry lemon
25 les légumes (vegetables)	carrot tomato onion potato cauliflower
26 map (ii)	Map of famous buildings in Paris
27 song (karaoke 61)	**une petite araignée** (Skoldo) one little spider
28 Je sais parler français (i)	I know how to speak French (Revision of questions and answers)
29 les révisions	pages 21 - 25
30 rap (karaoke 62 spoken 63)	**À table** (Skoldo) meal time
31 la tête (head)	hair eyes mouth nose ears
32 le corps (body)	arm leg hand foot head
33 song (karaoke 64)	**Tête épaules genoux et pieds** (Traditional) Head shoulders knees etc
34 les passe-temps (hobbies)	television reading swimming football cooking
35 les jouets (toys)	book teddy doll ball video game
36 rap (karaoke 65 spoken 66)	**Parlons de moi** (Skoldo) Let's talk about me
37 song (karaoke 67)	**In French the colours come after the noun** (Skoldo)
38 Je sais parler français (ii)	I know how to speak French (Revision of questions and answers)
39 les révisions	pages 31 - 35
40 la campagne (i) (countryside)	flower butterfly tree river bridge
41 la campagne (ii) (countryside)	fox hare mouse hedgehog mole
42 song (karaoke 68)	**Words that end in EAU** (Skoldo)
43 la plage (beach)	sun sea spade seagull bucket
44 le transport (transport)	car bike aeroplane train bus
45 l'histoire	1st World War, 2nd World War, Joan of Arc, Napoleon, 14th July 1789
46 rap (karaoke 69 spoken 70)	**Mes passe-temps** (Skoldo) My hobbies
47 les révisions	pages 40 - 44
48 chez moi (at home)	table chair window door house
49 la famille (family)	mother father brother sister family
50 song (karaoke 71)	**Notre Maison** (Skoldo) Our house
51 J'ai soif. (I'm thirsty.)	water coffee tea orange juice coca cola®
52 la trousse (pencil case)	pencil pen ruler pencil sharpener rubber
53 Translation of songs and rap	
54 Vocabulary	French/English
55 Vocabulary	English/ French
56 Answers to Book One	

les couleurs (i)

Nous sommes le ....

Vocabulaire	Je sais parler français	
rouge - red	bonjour	good morning/hello
jaune - yellow	salut!	hello/hi!
rose - pink	au revoir	good bye
bleu - blue	**présent** (boy)	**présente** (girl)
vert - green	Spoken by children when the register is being called.	
	blanc - white	

1 Colorie les dessins. Colour the pictures.

 | rouge |  | jaune |  | bleu

 | vert |  | rose | | jaune

2 Trouve et colorie les mots dans la bonne couleur.
Find and colour the words in their correct colour.

bleujaunerosevertrouge

Which colour has been left out? _ _ _ _ _

3 Entoure six couleurs.
Circle six hidden colours.

rsprouge**nevxepvae**blanc**d**

qohver**tws**vrose**lekqletiy**s

ed**iglmj**aunendesw**bleuez

4 Je sais parler français. I know how to speak French.

Bonjour Luc   **Au revoir Luc**   **Luc**   **Anne**

Salut! Anne   **Au revoir Anne**   **présent   présente**

1 (un)

les couleurs (ii)

Nous sommes le ....

Je sais parler français

bonjour	good morning/hello
salut!	hello/hi!
Ça va?	How are you?
Ça va bien, merci.	I'm fine thanks.
les voyelles	a e i o u y

1 Colorie les cases de la deuxième grille. Colour correctly the empty squares in the grid.

violet		violet	orange
	noir		gris
marron		orange	noir
gris	marron		orange

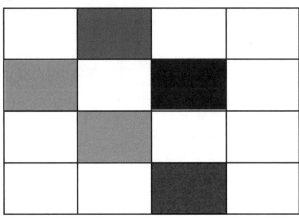

2 Ajoute les voyelles pour compléter les mots. Add the missing vowels.

_ r _ n g _   n _ _ r   m _ rr _ n

gr _ s   v _ _ l _ t

3 Écris la couleur de ces dessins. Write the colour which goes with each picture.

 violet ....

 ....

4 Je sais parler français. I know how to speak French.

Bonjour Luc   **Ça va?**   **Au revoir Luc**

Salut! Anne   **Ça va bien, merci.**   **Au revoir Anne**

2 (deux)

Meunier tu dors

Meunier, tu dors
Ton moulin, ton moulin va trop vite
Meunier, tu dors
Ton moulin, ton moulin va trop fort

Ton moulin, ton moulin va trop vite
Ton moulin, ton moulin va trop fort

Ton moulin, ton moulin va trop vite
Ton moulin, ton moulin va trop fort

Track 53 Karaoke version

3 (trois)

les nombres (i)

Nous sommes le ....

Je sais parler français

impair/pair   odd/even (numbers)
Quel âge as-tu?   How old are you?
J'ai ...ans.   I'm ....

Colours always come <u>after</u> the noun in French.
The plural s applies to nouns and adjectives.

six avions bleus - six blue aeroplanes

---

1   Colorie le nombre exact d'images. Colour the correct number of pictures.

trois fraises **rouges**

deux livres **verts**   

quatre pulls **bleus**   

cinq jupes **jaunes**   

un hamster **marron**   

---

2   Écris le nombre d'objets sous chaque dessin. Write, in French, the correct number.

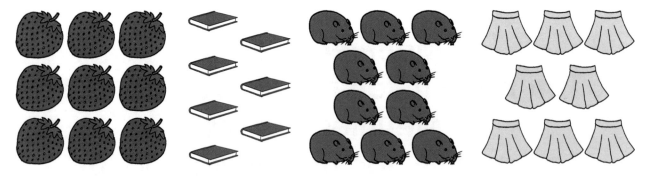

....

---

3   Je sais parler français. I know how to speak French.

Quel âge as-tu?

J'ai neuf ans.   J'ai dix ans.   J'ai sept ans.   J'ai huit ans.

les nombres (ii)

Nous sommes le ....

Vocabulaire	
11 **onze** (impair)	16 **seize** (pair)
12 **douze**	17 **dix-sept**
13 **treize**	18 **dix-huit**
14 **quatorze**	19 **dix-neuf**
15 **quinze**	20 **vingt**

Comptez jusqu'à 20. Count up to 20.

Je sais parler français

Combien de ...y a-t-il?   How many ...are there?

Il y en a ...   There are ...

NB six, huit and dix when followed by another word drop their final sound. (They are still spelt the same.)

eg **six** ballons six balls   **huit** voitures eight cars

*Never add a plural **s** to **orange** & **marron**.

---

1 Colorie le nombre exact d'images. Colour the correct number of pictures.

dix fleurs **orange***	
sept glaces **roses**	
neuf crayons **bleus**	
huit citrons **jaunes**	
six papillons **violets**	

2 Écris le nombre d'objets sous chaque dessin. Write, in French, the correct number.

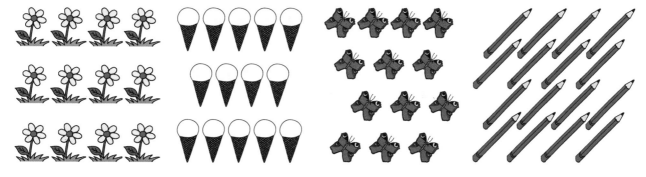

....

3 Je sais parler français. I know how to speak French.

Combien de glaces y a-t-il?	**Combien de crayons y a-t-il?**	**Combien de fleurs y a-t-il?**	**Combien de papillons y a-t-il?**

Il y en a quatorze.	Il y en a seize.	Il y en a douze.	Il y en a quinze.

5 (cinq)

l'alphabet

a l'avion

b le ballon

c le cochon

d le drapeau

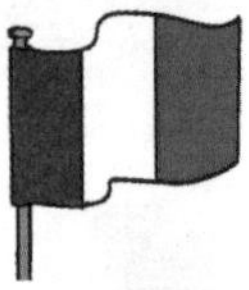

e l'escargot

f la fraise

g la glace

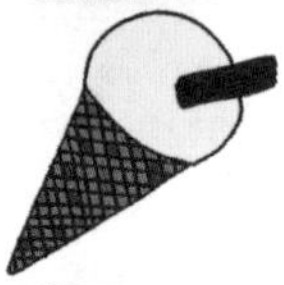

h le hérisson

i l'igloo

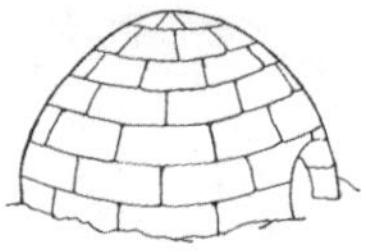

j la jonquille

k le kangourou

l le lion

m le mouton

n le nounours

o l'orange

p la pomme

q la quille

r le renard

s le soleil

t la tomate

u l'univers

v la vache

w le wagon

x le xylophone

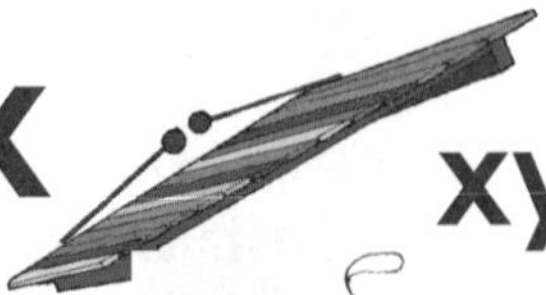

y le yoyo

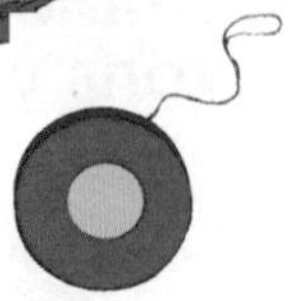

z le zèbre

Track 54 Karaoke version

6 (six)

a b
c d
e f
g h
i j
k l
m n
o p
q r
s t
u v
w x
y z

l'alphabet français

7 (sept)

un jeu

Écoute bien 👂 et écris la bonne lettre de l'alphabet. ✎

Listen to the CD and write the correct letter of the alphabet in the correct balloon.

les révisions

Écoute bien 👂 et coche la petite boîte. ✔

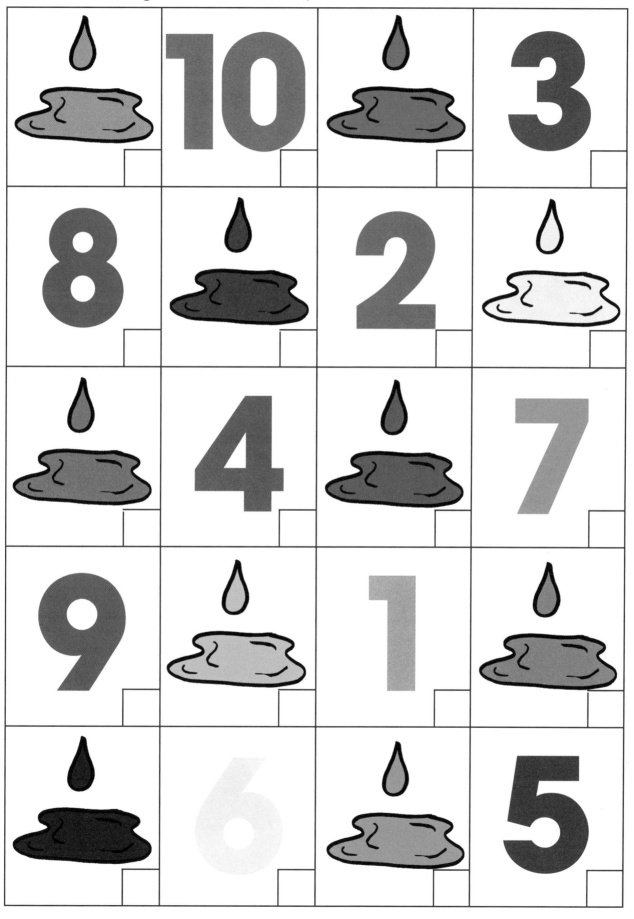

Bonjour ma cousine

Bonjour ma cousine
Bonjour mon cousin germain
On m'a dit que vous m'aimiez
Est-ce bien la vérité?
Je n'm'en soucie guère x 2
Passez par ici et moi par là
Au-r'voir ma cousine
et puis voilà

Track 55 Karaoke version

les vêtements (i)

Nous sommes le ....

Grammaire

In French nouns are **masculine** (m) or **feminine** (f).
Masculine   nouns start with   **le**
Feminine   nouns start with   **la**
A noun can be touched, felt, heard or seen.
Comment tu t'appelles? What's your name?
Je m'appelle...   I'm called ...

1 Écris les noms des vêtements et colorie-les. Label the clothes in French.

la   la   le   le

....

2 Colorie de la même couleur, les moitiés identiques.
Colour the identical halves the same.

3 Souligne les cinq mots cachés. Underline the five hidden vocabulary words.

rsprojupecvxepvaechemiseoh
vertwsvrobeselekqletiysedigl
mipullendeswbjeanzgaeyedxe

4 Je sais parler français. I know how to speak French.

Comment tu t'appelles?

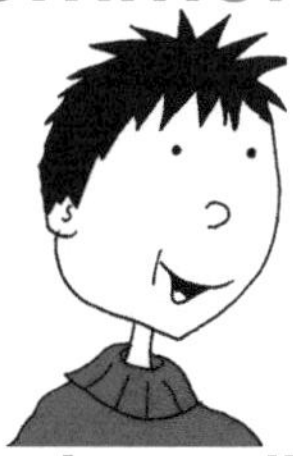

Je m'appelle   Je m'appelle   Je m'appelle   Je m'appelle
Béatrice.   Antoine.   Pauline.   David.

11 (onze)

les vêtements (ii) Nous sommes le ....

Vocabulaire
la **basket** - the trainer
la **chaussette** - the sock
la **chaussure** - the shoe
le **pantalon** - the (pair of) trousers
le **tee-shirt** - the tee-shirt

Grammaire
In French nouns are **masculine** (m) or **feminine** (f).
Masculine   nouns start with   **le**
Feminine   nouns start with   **la**
So far we have seen two ways saying 'the'in French.
le (m) and **la** (f).

1 Colorie les objets de l'image suivant la grille.
Colour the objects in the picture according to the chart.

bleu	X			
jaune				X
violet	X			
vert			X	
rose			X	

2 Écris les mots dans les cases et souligne-les dans les mots cachés.
Write each word in its correct shape and then underline the same words in the letter string.

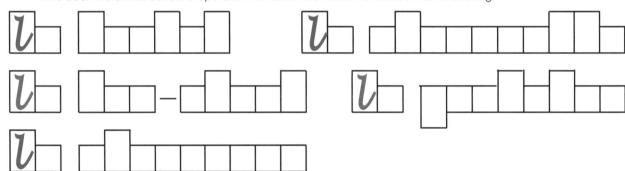

vchaussettevbasketvteeshirte
iqnxchaussurevpantalonvukl

3 Je sais parler français. I know how to speak French.

♪Où habites-tu?

J'habite à Paris.   J'habite à New York.   J'habite à Sydney.   J'habite à Londres.

Joyeux anniversaire

Joyeux anniversaire
Joyeux anniversaire
Joyeux anniversaire
Joyeux anniversaire

Quel âge as-tu?
Quel âge as-tu?
Quel âge as-tu 'Pierre'?
Quel âge as-tu?

Aujourd'hui j'ai 'neuf' ans
Aujourd'hui j'ai 'neuf' ans
C'est mon anniversaire
Aujourd'hui j'ai 'neuf' ans

Track 56 Karaoke version

13 (treize)

J'ai faim. (i)

Nous sommes le ....

1 Écris les mots français pour chaque dessin. Copy the French words for each picture.

le_ _ _ _

le_ _ _ _ _ _ _

le_ _ _ _ _ _ _

la_ _ _ _ _ _ _ _

le_ _ _ _

2 Souligne ce dont tu as besoin pour faire un sandwich à la confiture.
Underline the ingredients needed to make a jam sandwich.

le **beurre**
le **lait**
le **fromage**
le **pain**
la **confiture**

3 Entoure les cinq mots du vocabulaire. Underline the five vocabulary words.

**vcfromagetevbjstedvtmlaitrtei
nxconfiturevpainvlinvuklrsps
hpfrsuginevxepvaebeurreqmi**

4 Je sais parler français. I know how to speak French.

Bonjour, je voudrais...

du pain
s'il vous plaît.

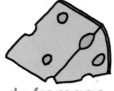

du fromage
s'il vous plaît.

de la confiture
s'il vous plaît.

du beurre
s'il vous plaît.

14 (quatorze)

J'ai faim. (ii)

Nous sommes le ....

Vocabulaire

le **miel** - the honey
les **frites** - the chips
les **pâtes** - the pasta
l' **oeuf** - the egg
le **yaourt** - the yoghurt

Grammaire

The plural of **l'**, **l'**, **le** and **la** is always **les les**.

la frite	the chip	**les** frites	the chips
l'oeuf	the egg	**les** oeufs	the eggs

Check you know how to pronounce the word **les**.

l'oeuf	pronounce the **f**	**les** oeufs	don't pronounce the **f**

1 Écris les mots français pour chaque dessin. Copy the French words for each picture.

 le _ _ _ _

 l'_ _ _ _

 le _ _ _ _ _ _

 les _ _ _ _ _

 les _ _ _ _ _ _

2 Associe les images avec quatre mots du vocabulaire.
Write the French word associated with four of the vocabulary words.

les ....   le ....   les ....   l' ....

3 Trouve et colorie les cinq mots du vocabulaire. Colour the five hidden vocabulary words.

vcfya**o**urtaevbjsted**frite**strvein

xgohjotu**oeuf**ainvlinvuklrsps

h**pâtes**ginevxepvae**miel**reqmi

4 Je sais parler français. I know how to speak French.

Bonjour, je voudrais...

**deux pots de yaourt
s'il vous plaît.**

**un paquet de pâtes
s'il vous plaît.**

**un pot de miel
s'il vous plaît.**

**six oeufs
s'il vous plaît.**

15 (quinze)

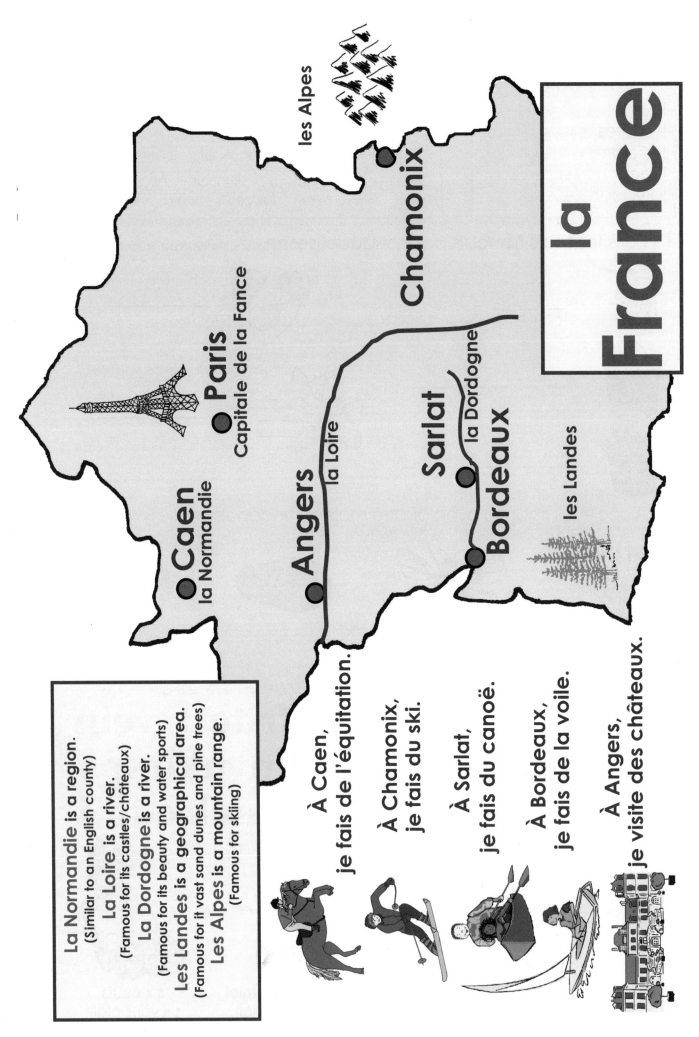

la France

les Alpes

Chamonix

Paris
Capitale de la Fance

la Dordogne

Sarlat

Bordeaux

la Loire

Angers

Caen
la Normandie

les Landes

La Normandie is a region.
(Similar to an English county)
La Loire is a river.
(Famous for its castles/châteaux)
La Dordogne is a river.
(Famous for its beauty and water sports)
Les Landes is a geographical area.
(Famous for it vast sand dunes and pine trees)
Les Alpes is a mountain range.
(Famous for skiing)

À Caen,
je fais de l'équitation.

À Chamonix,
je fais du ski.

À Sarlat,
je fais du canoë.

À Bordeaux,
je fais de la voile.

À Angers,
je visite des châteaux.

16 (seize)

l'apostrophe

l'abeille

l'ami

l'ananas

l'araignée

l'arbre

l'argent

l'assiette

l'avion

l'eau

l'écharpe

l'école

l'église

l'éléphant

l'escargot

l'étoile

l'hôpital

l'igloo

l'oeuf

l'oignon

l'oiseau

l'orange

l'ordinateur

l'univers

l'usine

17 (dix-sept)

Il était un petit navire

Il était un petit navire
Il était un petit navire
qui n'avait
ja ja jamais navigué
qui n'avait
ja ja jamais navigué
ohé ohé

Il partit pour un long voyage
Il partit pour un long voyage
sur la mer
Mé Mé Méditerranée
sur la mer
Mé Mé Méditerranée
ohé ohé

Au bout de cinq à six semaines
Au bout de cinq à six semaines
les vivres
vin vin vinrent à manquer
les vivres
vin vin vinrent à manquer
ohé ohé

Track 57 Karaoke version

18 (dix-huit)

les révisions

Écoute bien et coche la petite boîte. ✔

Il court, il court le furet

Il court, il court le furet
le furet du bois, Mesdames
Il court, il court le furet
le furet du bois joli

Il est passé par ici
Il repassera par là

Il court, il court le furet
le furet du bois, Mesdames
Il court, il court le furet
le furet du bois joli

This song is about a ferret who comes out of the wood and passes by and then returns the other way.
To play the game make a circle with one child in the middle.
Find a piece of string long enough to go round the circle, slip a ring onto the string and tie both ends.
The children pass the ring from one to another.
The child in the middle guesses who has the ring in his hand when the song has finished.

Track 58 Karaoke version

les animaux (i)

Nous sommes le ....

Vocabulaire

le **chat** - the cat
le **chien** - the dog
le **poisson** - the fish
le **lapin** - the rabbit
le **hamster** - the hamster

Grammaire

NB in French, colours come **after** the noun.
A noun can be touched, felt, heard, tasted or seen.

le chien **marron** - the brown dog
le lapin **gris** - the grey rabbit

De quelle couleur est...? What colour is...?

1 Relie les dessins aux mots. Link the drawings to the correct words.

| le chien ● | le poisson● | le chat ● | le lapin ● | le hamster ● |

2 Colorie les animaux. Colour the animals correctly.

le chat **orange**

le chien **noir**

le poisson **rouge**

le lapin **gris**

le hamster **marron**

3 Traduis en français. Translate into French.

1. the red fish   ....

2. the black dog   ....

3. the grey rabbit   ....

4. the orange cat   ....

5. the brown hamster ....

4 Je sais parler français. I know how to speak French.

De quelle couleur est...

le poisson?	le chien?	le hamster?	le lapin?

Le poisson est
rouge.

Le chien est
noir et blanc.

Le hamster est
marron.

Le lapin est
gris.

21 (vingt et un)

les animaux (ii)

Nous sommes le ....

Vocabulaire

le **mouton** - the sheep
le **cheval** - the horse
le **cochon** - the pig
la **vache** - the cow
la **poule** - the hen

Grammaire

All nouns in French are either **masculine** or **feminine**
le (masculine)   **la** (feminine)

All colours are also **masculine** or **feminine**.
**bleu/bleue   vert/verte   gris/grise   noir/noire
violet/violette   blanc/blanche**

orange and **marron** never change they always remain the same.

1   Entoure les bons mots. Circle the correct words.

le cochon	le cheval	la poule	le mouton	le mouton
la vache	le mouton	le mouton	la poule	le cheval
le mouton	la poule	le cheval	le cochon	la vache
le cheval	la vache	le cochon	la vache	la poule
la poule	le cochon	la vache	le cheval	le cochon

2   Compte les animaux. Count the animals.

....

....

....

3   Traduis en français. Translate into French.

1. the black and white cow   ....

2. the pink pig   ....

3. the grey hen   ....

4   Je sais parler français. I know how to speak French.

De quelle couleur est...

le cheval?	la poule?	la vache?	le cochon?

Le cheval est marron.   **La poule est grise.**   **La vache est blanche et noire.**   **Le cochon est rose.**

Je fais les courses

Je voudrais un kilo de pommes.

Bonjour Monsieur, que désirez-vous?

Je voudrais du fromage.

Je voudrais deux bananes.

Je voudrais un paquet de chips.

Avez-vous de la confiture? Non, je n'en ai pas.

Avez-vous des céréales? Oui, voilà et avec ça? x 2 ✓

Je voudrais des bonbons.

Bonjour Madame, que désirez-vous?

Je voudrais six oranges.

Je voudrais des oeufs.

Je voudrais du jambon.

Avez-vous des croissants chauds? Non, je n'en ai pas.

Avez-vous un pot de miel? Oui, voilà et avec ça? x 2 ✓

Track 59 Karaoke version - Spoken version 60

23 (vingt-trois)

les fruits

Vocabulaire

la **pomme** - the apple
la **poire** - the pear
la **banane** - the banana
la **fraise** - the strawberry
le **citron** - the lemon

Je sais parler français.

Bonjour/Au revoir	Good morning (Hello)/Goodbye
Salut! Ça va?	Hi! How are you?
Comment tu t'appelles?	What's your name?
Vous désirez?	Can I help you? (In a shop)
Je voudrais	I'd like ...
De quelle couleur est...?	What colour is ...?

1 Colorie les objets de l'image suivant la grille.
Colour the objects in the picture according to the chart.

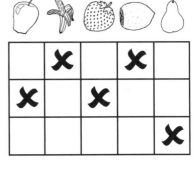

jaune		✗		✗	
rouge	✗		✗		
vert					✗

2 Écris les mots dans les cases et souligne-les dans les mots cachés.
Write each word in its correct shape and then underline the same words in the letter string.

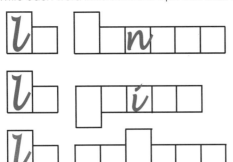
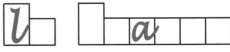
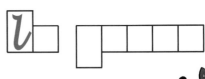

3 Entoure les cinq mots du vocabulaire. Circle the five vocabulary words.

vcitronetevbananevtdefpoirei
tqnxcfraiserevpommelsnvukl

4 Je sais parler français. I know how to speak French.

Bonjour, madame/monsieur, vous désirez?

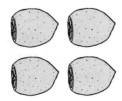

Je voudrais
quatre citrons,
s'il vous plaît.

Je voudrais
deux bananes,
s'il vous plaît.

Je voudrais
six pommes,
s'il vous plaît.

les légumes

Nous sommes le ....

1 Écris le nom des légumes sous l'image. Label the vegetables.

le _____   le _____   les _____   la _____

....

2 Traduis en francais. Translate into French.

Exemple: two cauliflowers   *deux choux-fleurs* ....

1. twelve peas ....
2. nine potatoes ....
3. four cabbages ....
4. eight carrots ....
5. five cauliflowers ....

3 Écris les mots du vocabulaire en utilisant le code. Use the code to write each word.

a	c	e	f	h	i	o	p	r	s	t	u
un	deux	trois	quatre	cinq	six	sept	huit	neuf	dix	onze	douze

Exemple: 2/5/7/12   c/h/o/u ....

1. 8/7/6/9/3 ....
2. 2/1/9/7/11/11/3 ....
3. 4/9/1/6/10/3 ....

4 Je sais parler français. I know how to speak French.

Bonjour, madame/monsieur, vous désirez?

Je voudrais
un sac de pommes de terre,
s'il vous plaît.

Je voudrais
un paquet de petits pois,
s'il vous plaît.

Je voudrais
deux choux-fleurs,
s'il vous plaît.

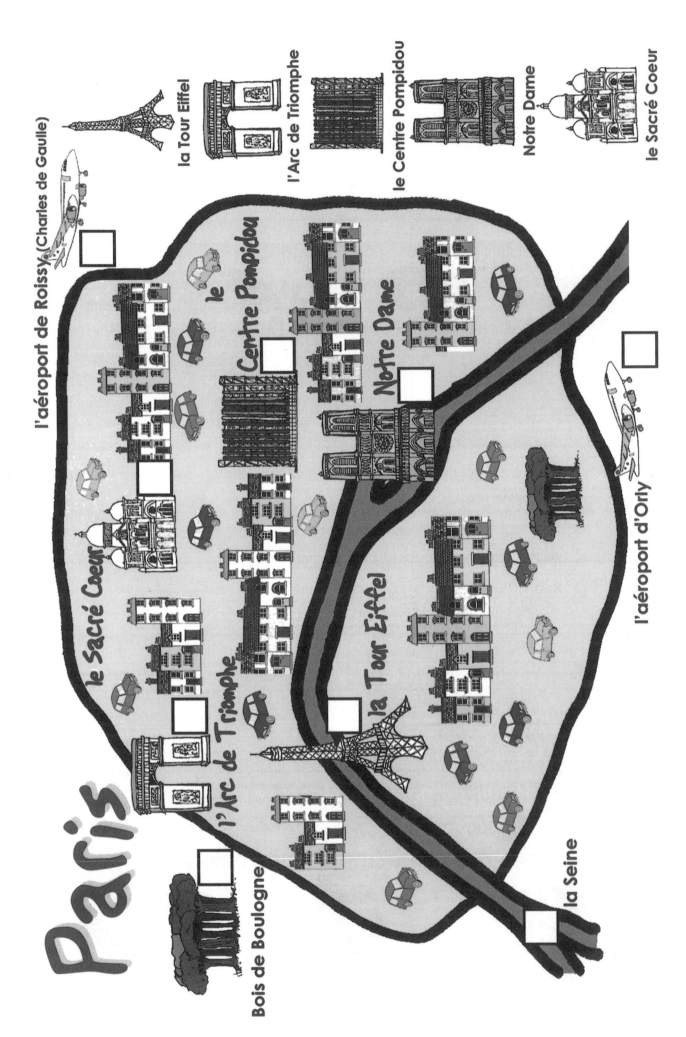

la Tour Eiffel

l'Arc de Triomphe

le Centre Pompidou

Notre Dame

le Sacré Coeur

l'aéroport de Roissy (Charles de Gaulle)

Paris

le Sacré Coeur

le Centre Pompidou

Notre Dame

l'Arc de Triomphe

la Tour Eiffel

l'aéroport d'Orly

Bois de Boulogne

la Seine

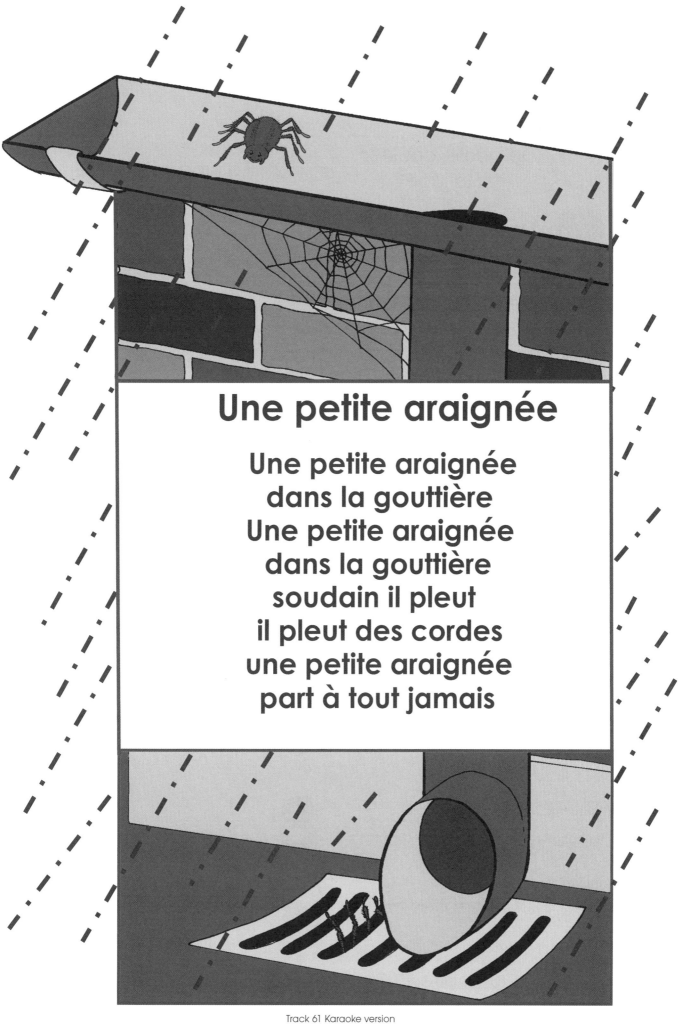

Une petite araignée

Une petite araignée
dans la gouttière
Une petite araignée
dans la gouttière
soudain il pleut
il pleut des cordes
une petite araignée
part à tout jamais

Track 61 Karaoke version

27 (vingt-sept)

Je sais parler français

 De quelle couleur est la jupe?

 La jupe est jaune.

 De quelle couleur est la fraise?

 La fraise est rouge.

 De quelle couleur est le pull?

 Le pull est vert.

 Combien de chiens y a-t-il?

 Il y en a cinq.

 Combien de chemises y a-t-il?

 Il y en a trois.

 Combien de cochons y a-t-il?

 Il y en a quatre.

 Comment tu t'appelles?

 Je m'appelle Luc.

 Comment tu t'appelles?

 Je m'appelle Anne.

 Quel âge as-tu?

 J'ai neuf ans.

 Quel âge as-tu?

 J'ai huit ans.

 Où habites-tu?

 J'habite à Londres.

 Où habites-tu?

 J'habite à Paris.

les révisions

Écoute bien 👂 et coche la petite boîte. ✔

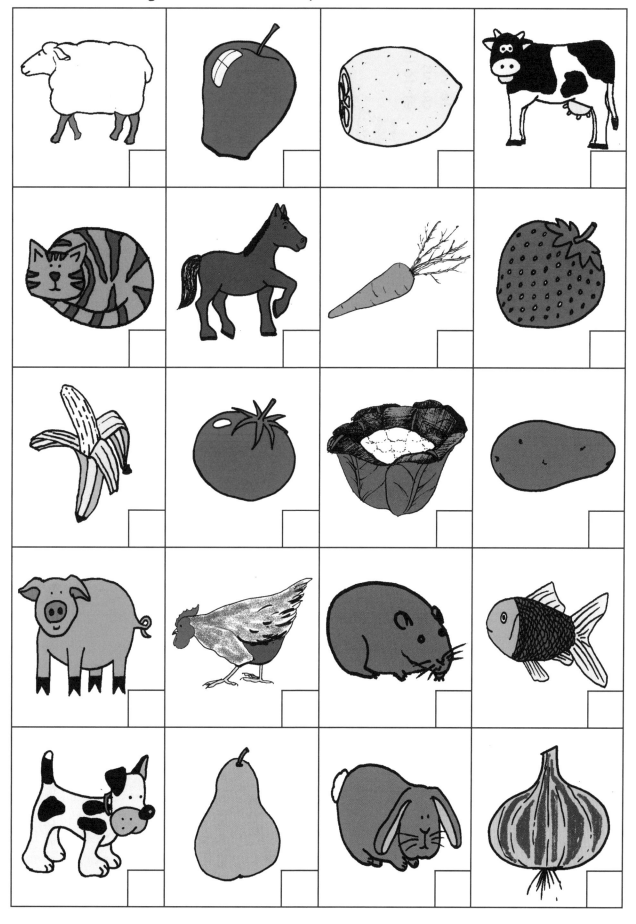

Je voudrais du jus de fruit et de la glace. x 2

Je voudrais de l'eau minérale ou une tasse de thé. x 2

Je voudrais une tarte aux pommes avec de la crème. x 2

Je voudrais du chocolat et un yaourt.

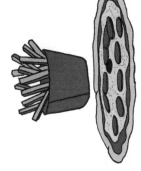

Je voudrais une limonade ou un coca froid.

Je voudrais de la viande et un verre de vin.

Je voudrais des céréales avec du lait froid.

Je voudrais une pizza chaude avec des frites.

Je voudrais une salade verte et des pommes de terre.

Je voudrais une tranche de pain avec du miel.

Je voudrais un gros sandwich et des tomates.

Je voudrais un gros biftek avec du chou-fleur.

Il est six heures et demie, j'ai faim et j'ai soif.

Il est midi et demi, j'ai faim et j'ai soif.

Il est sept heures et demie, j'ai faim et j'ai soif.

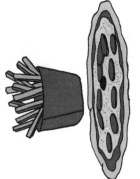

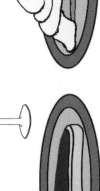
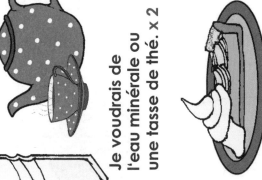

Track 62 Karaoke version - Spoken version 63

la tête

Nous sommes le ....

Vocabulaire
la bouche - the mouth
les cheveux - hair
la joue - the cheek
le nez - the nose
les oreilles - ears
les yeux - eyes

Grammaire
la tête	the head
Pierre a	Pierre (Peter) has
Jacques a dit touche ...	Simon says touch ...
Qu'est-ce que c'est?	What is it?
C'est un (m) **une** (f) **....**	It's a ...
C'est un nez.	It's a nose.
C'est une bouche.	It's a mouth.

1 Traduis en anglais et coche si c'est vrai ou fais un croix si c'est faux.
Translate into English and tick if true, cross if false..

Exemple: Pierre a un nez. *Peter has one/a nose* .... ✓

1. Pierre a trois oreilles. ....

2. Pierre a deux bouches. ....

3. Pierre a deux yeux. ....

4. Pierre a quatre têtes. ....

2 Associe le mot à la bonne image. Link the word with the correct picture.

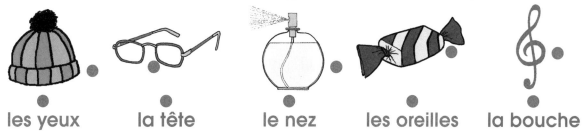

les yeux   la tête   le nez   les oreilles   la bouche

3 Réponds aux questions. Answer the questions.

Exemple:
Qu'est-ce que c'est?
C'est une joue.
....

Qu'est-ce que c'est?
....

Qu'est-ce que c'est?
....

Qu'est-ce que c'est?
....

4 Je sais parler français. I know how to speak French.

Jacques a dit Simon says

Jacques a dit:
touche les cheveux

Jacques a dit:
touche les yeux

Jacques a dit:
touche le nez

Jacques a dit:
touche la bouche

31 (trente et un)

le corps

Nous sommes le ....

1 Traduis en anglais et coche si c'est vrai ou fais un croix si c'est faux.
Translate into English and tick if true, cross if false..

Exemple: J'ai trois pieds. *I have three feet.* .... **X**

1. J'ai deux bras. ....

2. J'ai deux jambes. ....

3. J'ai quatre mains. ....

4. J'ai une tête. ....

2 Associe le mot à la bonne image. Link the word with the correct picture.

le pied   **la main**   **le bras**   **la jambe**   **la tête**

3 Réponds aux questions. Answer the questions.

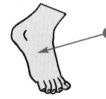
Exemple:
Qu'est-ce que c'est?
C'est un pied.
....

Qu'est-ce que c'est?
....

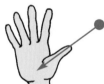
Qu'est-ce que c'est?
....

Qu'est-ce que c'est?
....

4 Je sais parler français. I know how to speak French.

Eppelle le mot Spell the word

chien   tomate   vache   fraise   mouton
C H I E N   **T O M A T E**   **V A C H E**   **F R A I S E**   **M O U T O N**

Tête, épaules, genoux et pieds

Tête, épaules
genoux et pieds
genoux et pieds

Tête, épaules
genoux et pieds
genoux et pieds

les yeux, le nez
la bouche, les oreilles

Tête, épaules
genoux et pieds
genoux et pieds

les yeux   le nez   la bouche   les oreilles

Track 64 Karaoke version

33 (trente-trois)

les passe-temps

Nous sommes le ....

Vocabulaire

le football - football
la télévision - the television
la lecture - reading
la natation - swimming
la cuisine - cooking

Grammaire

Est-ce que tu aimes?/Tu aimes?	Do you like?
Est-ce que tu aimes la lecture?	Do you like reading?
✔ Oui, j'aime la lecture.	Yes, I like reading.
Tu aimes la cuisine?	Do you like cooking?
✗ Non, je n'aime pas la cuisine.	No, I don't like cooking.
Oui Yes **Non** No	

1 Écris les mots français pour chaque dessin. Copy the French words for each picture.

 la ....

 le ....

 la ....

 la ....

 la ....

2 Entoure le mot associe avec chaque image.
Circle the French word associated with each picture.

la natation	la télévision	la cuisine	le football	le football
la cuisine	le football	la natation	la télévision	la cuisine
la lecture	la cuisine	le football	la natation	la télévision
la télévision	la natation	la lecture	la lecture	la lecture
le football	la lecture	la télévision	la cuisine	la natation

3 Entoure les cinq mots du vocabulaire. Underline the five vocabulary words.

vcfnatationvbjstedlecturervetn
wxgohjotufootballbinvuklrsps
gkcuisinehrevxetélévisionqmi

4 Je sais parler français. I know how to speak French.

Est-ce que tu aimes ...

le football? la cuisine? la lecture? la natation?

Oui, j'aime le football. | Non, je n'aime pas la cuisine. | Oui, j'aime la lecture. | Non, je n'aime pas la natation.

34 (trente-quatre)

les jouets

Nous sommes le ....

Vocabulaire

le **ballon** - the ball
le **jeu** - the game
le **livre** - the book
le **nounours** - the teddy
la **poupée** - the doll

Grammaire

Combien de... y a-t-il? — How many... are there?
Il y en a ... — There are ...
The plural of **le jeu** is **les jeux** (you add an **x** instead of an **s**).
Exemple:
Combien de livres y a-t-il? — How many books are there?
Il y en a quatre. — There are four.

1 Réponds aux questions.

Exemple: Combien de nounours y a-t-il?
Il y en a dix-huit.

1. Combien de livres y a-t-il?

....

2. Combien de ballons y a-t-il?

....

3. Combien de poupées y a-t-il?

....

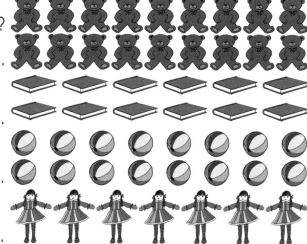

2 Entoure le bon mot por chaque image. Circle the correct French word.

le ballon	le jeu	la poupée	le nounours	le ballon
la poupée	le ballon	le livre	la poupée	le jeu
le livre	la poupée	le jeu	le jeu	le livre
le jeu	le nounours	le ballon	le livre	la poupée
le nounours	le livre	le nounours	le ballon	le nounours

3 Complète les mots avec des voyelles. Fill in the missing vowels.

le n _ _ n _ _ rs   le l _ vr _   le j _ _

la p _ _ p _ _   le b _ ll _ n

4 Je sais parler français. I know how to speak French.

Combien de ...

livres y a-t-il?   poupées y a-t-il?   nounours y a-t-il?   ballons y a-t-il?

 13   15   14   16

Il y en a treize.   Il y en a quinze.   Il y en a quatorze.   Il y en a seize.

Parlons de moi

J'ai trois soeurs et un demi-frère. J'ai deux soeurs.

Je n'aime pas le rugby.

J'aime l'anglais et la musique. J'aime les devoirs. x 2

J'ai neuf ans et demi. J'ai huit ans.

J'aime le football et le golf. J'aime le tennis.

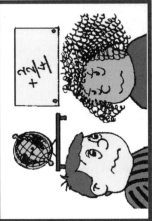

Je n'aime pas Je n'aime pas les maths. la géographie.

Je m'appelle Daniel. Je m'appelle Anne.

J'habite à la Rochelle. J'habite à Lille. x 2

J'aime l'histoire et le français. J'aime les sciences.

Je voudrais un hamster. Je voudrais un chien.

Je n'aime pas le ski.

Track 65 Karaoke version - Spoken version 66

36 (trente-six)

In French the colours come after the noun

la feuille verte

le nuage blanc

le chardon violet

le soleil jaune

In French the colours come after the noun, after the noun
In French the colours come after the noun, after the noun

The red apple becomes la pomme rouge
The red apple becomes la pomme rouge
The red apple becomes la pomme rouge
Don't forget after the noun

In French the colours come after the noun, after the noun
In French the colours come after the noun, after the noun

The blue jeans become le jean bleu
The blue jeans become le jean bleu
The blue jeans become le jean bleu
Don't forget after the noun

In French the colours come after the noun, after the noun
In French the colours come after the noun, after the noun

le coquelicot rouge

le jean bleu

la pomme rouge

l'orange orange

l'éléphant gris

le chocolat marron

le pingouin noir

la fleur rose

Track 67 Karaoke version

37 (trente-sept)

Je sais parler français

 De quelle couleur est le ballon?  Le ballon est rouge et blanc.

 De quelle couleur est la mer? La mer est bleue.

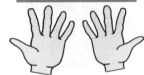 Comptez jusqu'à dix. **1 2 3 4 5 6 7 8 9 10**

 Bonjour, Luc! Ça va? Ça va bien, merci.

 Comment tu t'appelles? **Camille** Je m'appelle Camille.

 Quel âge as-tu?  J'ai neuf ans.

 Où habites-tu?  J'habite à Londres.

 Jacques a dit: "Touche le nez."

 Qu'est-ce que c'est?  C'est un livre.

 Est-ce que tu aimes la natation? Oui, j'aime la natation.

 Est-ce que tu aimes la cuisine? Non, je n'aime pas la cuisine.

 Combien de pommes y a-t-il? Il y en a huit.

les révisions

Écoute bien 👂 et coche la petite boîte. ✔

la campagne (i)
Nous sommes le ....

Grammaire
Combien de...... **y a–t-il?** How many...... are there?
Il y a There are **beaucoup de** lots of
Don't forget Add an **s** to plural nouns and adjectives
Colours always come after the noun they describe.
Il y a **beaucoup de** **papillons roses.**
There are lots of pink butterflies.

1 Traduis les phrases en français. Translate the sentences into French.

1. There are lots of pink butterflies.

....

2. There are lots of yellow flowers.

....

3. There are lots of green trees.

....

2 Entoure le mot associe avec chaque image.
Circle the French word associated with each picture.

la fleur	l' arbre	la fleur	le papillon	la rivière
l' arbre	le papillon	la rivière	la fleur	le pont
le papillon	la rivière	le pont	l' arbre	la fleur
la rivière	le pont	le papillon	la rivière	l' arbre
le pont	la fleur	l' arbre	le pont	le papillon

3 Colorie les voyelles. Colour the vowels. (a e i o u y)

le papillon la rivière
la fleur l'arbre le pont

4 Je sais parler français. I know how to speak French.

Comment tu t'appelles?   **Où habites-tu?**   **Quel âge as-tu?**

Je m'appelle Lucas.   **J'habite à Paris.**   **J'ai neuf ans.**

la campagne (ii) Nous sommes le ....

Vocabulaire

le **renard** - the fox
la **souris** - the mouse
le **hérisson** - the hedgehog
la **taupe** - the mole
le **lièvre** - the hare

Grammaire

Qu'est-ce que c'est?.... What is it?   C'est.... It's......
Il y a There are   **beaucoup de** lots of
Don't forget Add an s to plural nouns and adjectives
Colours always come after the noun they describe.
Il y a **beaucoup de** **taupes noires.**
There are   lots of   black moles.

1 Traduis les phrases en français. Translate the sentences into French.

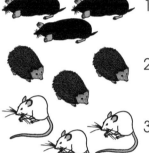

1. There are lots of black moles. (Mole is feminine check the spelling of black)

....

2. There are lots of brown hedgehogs. (Check the plural of brown)

....

3. There are lots of white mice. (Mouse is feminine check the spelling of white)

....

2 Entoure le mot associe avec chaque image.
Circle the French word associated with each picture.

la taupe	le hérisson	le hérisson	le lièvre	la taupe
le hérisson	le lièvre	la taupe	la souris	le renard
le lièvre	la taupe	le renard	le hérisson	la souris
la souris	le renard	le lièvre	la taupe	le hérisson
le renard	la souris	la souris	le renard	le lièvre

3 Colorie les consonnes. Colour the consonants. (b c d f g h j k l m n p q r s t v w x z)

le renard♣♣♣♣♣♣le hérisson
la taupe♣la souris♣le lièvre

4 Je sais parler français. I know how to speak French.

Qu'est-ce que c'est?

C'est un renard.   C'est une taupe.   C'est un papillon.   C'est une souris.

41 (quarante et un)

Words that end in eau

Here's a song to help you learn
the words that end in eau
words that end in eau
are always pronounced 'o'

bateau

gâteau

château

chapeau

cadeau

oiseau

seau d'eau

Track 68 Karaoke version

la plage

Nous sommes le ....

Grammaire

French words ending in **EAU** add an **x** in the plural
un bateau   one boat   deux bateaux   two boats
le   **m** (masculine)
la   **f** (feminine)
les   **pl** (plural)
l' l'   **m** or **f** (Look up the words to see if they are m or f)

1 Écris **m, f** or **pl** à côté de chaque mot. Write m, f, or pl next to each word.

1. le soleil
2. les mouettes
3. le crabe
4. le bateau
5. les fleurs
6. le papillon
7. le pont

8. l'arbre (see pg 40)
9. le gâteau
10. le nez
11. la bouche
12. le bras
13. les jambes
14. la tête

15. les oreilles
16. la main
17. les pieds
18. le chapeau
19. les cadeaux
20. le château
21. l'oiseau (see vocab)

2 Complète les mots avec les voyelles qui manquent. Add the missing vowel.

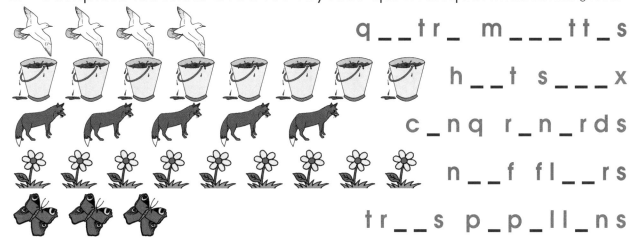

q _ _ t r _   m _ _ _ t t _ s

h _ _ t   s _ _ _ x

c _ n q   r _ n _ r d s

n _ _ f   f l _ _ r s

t r _ _ s   p _ p _ l l _ n s

3 Entoure les cinq mots du vocabulaire. Circle the five vocabulary words.

mouettepellemersoleilseau

4 Je sais parler français. I know how to speak French.

Eppelle le mot

soleil **SOLEIL**   mer **MER**   seau **SEAU**   pelle **PELLE**   mouette **MOUETTE**

le transport

Nous sommes le ....

1 Traduis en français. Translate into French. Don't forget that colours come after the noun.

 a blue aeroplane
un avion bleu

 a red bike
....

 a yellow bus
....

 a purple train
....

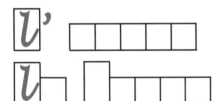 a red car
....

 a green aeroplane
....

2 Écris les mots dans les cases.
Write each word in its correct shape.

l' ☐☐☐☐☐   l ☐☐☐☐☐☐

l ☐☐☐☐☐   l ☐☐☐☐   l ☐☐☐

3 Entoure le mot associé avec chaque image. Circle the correct associated word.

l' avion	le bus	le vélo	le vélo	le train
le vélo	l' avion	l' avion	la voiture	le vélo
la voiture	le vélo	le bus	l' avion	l' avion
le bus	le train	la voiture	le train	la voiture
le train	la voiture	le train	le bus	le bus

4 Je sais parler français. I know how to speak French.

Qu'est-ce que c'est?

C'est
une voiture rouge.

C'est
un bus jaune.

C'est
un train violet.

C'est
un vélo rouge.

l'histoire

la première guerre mondiale 1914 – 1918
mille neuf cent quatorze - mille neuf cent dix-huit

Jeanne d'Arc 1412 - 1431
mille quatre cent douze - mille quatre cent trente et un

la deuxième guerre mondiale 1939 - 1945
mille neuf cent trente-neuf - mille neuf cent quarante-cinq

Napoléon Bonaparte 1769 - 1821
mille sept cent soixante-neuf - mille huit cent vingt et un

la prise de la Bastille le 14 juillet 1789
le quatorze juillet mille sept cent quatre-vingt neuf

Napoléon Bonaparte
Napoleon Bonaparte

1769 - 1821

la prise de la Bastille
storming of the Bastille

le 14 juillet 1789

la deuxième guerre mondiale
the Second World War

1939 - 1945

la première guerre mondiale
the First World War

1914 - 1918

Jeanne d'Arc
Joan of Arc

1412 - 1431

45 (quarante-cinq)

♪ Mes passe-temps

J'ai une télé dans ma chambre.
J'aime les feuilletons.

J'aime les jeux vidéo
et aussi l'internet.

J'écoute de la musique pop.
J'ai une chaîne hi fi.*
*(Old fashioned hi fi system)

J'aime la mode et les CD
mais je n'ai pas d'argent.

Je voudrais faire de la voile
mais je n'ai pas le temps. x 2

J'aime lire des magazines,
des journaux et des livres.

Je suis fort en gymnastique.

Je suis nul en golf.

J'aime aller au cinéma
avec mes amis.

J'aime faire
de la planche à voile...

... mais je n'ai pas d'argent.

Track 70 Karaoke version - Spoken vesion 71

Je voudrais faire du rugby
mais je n'ai pas le temps. x 2

les révisions

Écoute bien  et coche la petite boîte. ✔

chez moi

Vocabulaire

la **table** - the table
la **chaise** - the chair
la **fenêtre** - the window
la **porte** - the door
la **maison** - the house

Grammaire

Qu'est-ce que c'est?   What is it?
C'est un (m) une (f) ...   It's a ...
Exemple: **C'est un bus.**   It's a bus.
                     C'est une fenêtre .   It's a window.
Colours **must** agree with the noun they describe.

1 Traduis en français. Translate into French. Don't forget that colours come **after** the noun.

Qu'est-ce que c'est?

It's a yellow table.

....

It's a white window.

....

It's a green chair.

....

2 Complète le mots-croisés et écris les cinq mots du vocabulaire.
Complete the crossword and write the five vocabulary words.

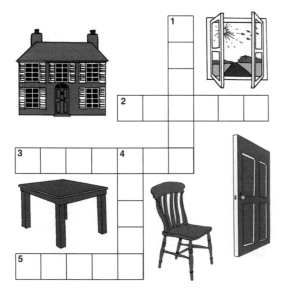

1. C'est vert.

....

2. C'est rose.

....

3. C'est blanc.

....

4. C'est violet.

....

5. C'est rouge.

....

3 Je sais parler français. I know how to speak French.

Comment tu t'appelles?   **Où habites-tu?**   **Quel âge as-tu?**

Je m'appelle Camille.   J'habite au Canada.   J'ai huit ans.

la famille

Nous sommes le ....

1 Lis les phrases. Read the sentences.

Voici Martin.
Martin est le père de
Tom et Laura.

Voici Laura.
Laura est la soeur
de Tom.

Voici Claire.
Claire est la mère de
Tom et Laura.

Voici Tom.
Tom est le frère de
Laura.

Voici la famille.
Martin est le père.
Claire est la mère.
Tom est le frère.
Laura est la soeur.

2 Finis les phrases en français. Finish the sentences in French.

1. Martin est ....de .... et ....
2. Claire est...de .... et ....
2. Laura est...de ....
4. Tom est...de ....

3 Entoure le mot associe avec chaque image. Circle the correct word.

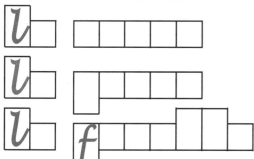

4 Je sais parler français. I know how to speak French.

Est-ce que tu as des frères ou des soeurs?

Oui, j'ai
un frère.

Oui, j'ai
une soeur.

Non, je n'ai pas
de frères.

Non, je n'ai pas
de soeurs.

Notre maison

 la **maison** 5 **cinq** 10 **dix** 2 **deux** 9 **neuf** la **fenêtre** le **volet** la **porte** le **toit** la **cheminée** ✓ **oui** ✗ **non**

 5

Notre _____ a _____ _____ s

 10

Notre _____ a _____ _____ s

 1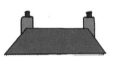

Notre _____ a _____ _____

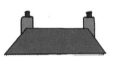 2

un _____ et _____ _____ s

5 ✓ ✓ ✓

_____ _____ s _____

9 ✗ ✗ ✗

_____ _____ s _____

 2

un _____ et _____ _____ s

Track 71 Karaoke version

50 (cinquante)

J'ai soif.

Nous sommes le ....

Vocabulaire	
l' eau - the water	(le vin - the wine)
le café - the coffee	(le thé - the tea)
le coca - the coca cola®	
l' orangeade - the orangeade	
la limonade - the lemonade	

Vocabulaire supplémentaire	
une tasse de	a cup of
une bouteille de	a bottle of
une canette de	a can of
un verre de	a glass of
une bouteille d'eau	a bottle of water
une canette de coca	a can of coca cola®

1 Traduis en français. Translate into French. Don't forget that colours come after the noun.

Qu'est-ce que c'est? - What is it? **C'est une/un** - It's a ....

It's a cup of coffee.

....

It's a bottle of water.

....

It's a glass of lemonade.

....

2 Entoure le bon mot. Circle the correct word.

le thé	le vin	la limonade	le café	le thé	l'eau
le vin	le café	le thé	le vin	le coca	le vin
la limonade	l'eau	le coca	le thé	la limonade	le café
l'eau	le thé	le thé	le vin	le coca	l'orangeade

3 Avec les définitions, fais les mots-croisés. Complete the crossword.

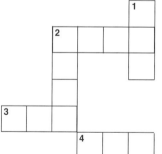

1. ⭘ It falls as rain. ....

2. ➲ a fizzy drink. ....

2. ⭘ It's made from beans. ....

3. ➲ It's made from leaves. ....

4. ➲ It's made from grapes. ....

4 Je sais parler français. I know how to speak French.

Est-ce que tu as des frères ou des soeurs?

Oui, j'ai un frère.

Oui, j'ai trois soeurs.

Non, je n'ai pas de soeur.

Non, je n'ai pas de frère.

51 (cinquante et un)

la trousse

Nous sommes le ....

Vocabulaire

les **ciseaux** - the scissors
le **crayon** - the pencil
la **gomme** - the rubber
la **règle** - the ruler
le **stylo** - the pen
le **taille-crayon** - the pencil sharpener

Grammaire

The plural of	le, la and l', l'	is	**les**
	un, une	is	**des**
	est	is	**sont**

Adjectives describing plural nouns must agree

Les livre**s** sont vert**s**.   The books are green.
un livre vert   a green book
des livre**s** vert**s**   (some) green books

---

1   Mets ces phrases au pluriel. Write these sentences in the plural.

Exemple: La gomme est petite.

Les gommes sont petites.
....

1. Le stylo est jaune.

....

2. La règle est longue.

....

3. Le crayon est rouge.

....

4. Le stylo est bleu.

....

5. La gomme est blanche.

....

2   Complète la grille. Complete the table of co-ordinates.

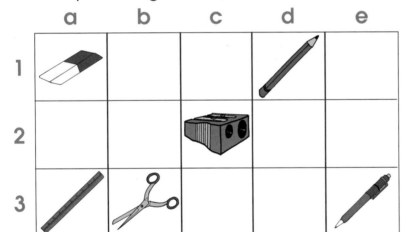

	a	b	c	d	e
1					
2					
3					

le taille-crayon
le stylo
la règle
le crayon
les ciseaux
la gomme

2	c

| 2 | c | *le taille-crayon* | 1 | d | .... | 1 | a | .... |

| 3 | e | .... | 3 | b | .... | 3 | a | .... |

3   Je sais parler français. I know how to speak French.

Qu'est-ce que tu as dans ta trousse?

What have you got in your pencil-case?

**Dans ma trousse il y a
une gomme grise et blanche.**

**Dans ma trousse il y a
cinq stylos bleus.**

**Dans ma trousse il y a
des ciseaux.**

Translation of Skoldo Book One songs/raps

3   **Meunier tu dors, ton moulin, va trop vite**
Miller you're asleep your windmill's going too quickly
Meunier tu dors, ton moulin va trop fort
Miller you're asleep your windmill's going too strongly

10   **Bonjour ma cousine**
Good morning/hello cousin (girl)
Mon cousin germain My first cousin (boy)
On m'a dit que vous m'aimiez
I'm told you love me
Est-ce bien la verité? Is it the truth?
Je n'm'en soucie guère I don't really care
Passez par ici et moi par là - au-revoir
You go this way and I'll go that way – goodbye

13   **Joyeux anniversaire** Happy Birthday
Quel âge as-tu? How old are you?
Aujourd'hui, j'ai …ans. Today I'm …

18   **Il était un petit navire** There once was a little ship
Qui n'avait ja ja jamais navigué
Who had ne ne never sailed
Il partit pour un long voyage
It set off on a long journey
Sur la mer Mé Mé Méditerranée
On the Me Me Mediterranean sea
Au bout de cinq à six semaines
At the end of five to six weeks
Les vivres vin vin vinrent à manquer
The suppies began to run out

20   **Il court, il court le furet** He runs, he runs, the ferret
le furet du bois, Mesdames/bois joli
the ferret of the wood, ladies/lovely wood
Il est passé par ici   **Il repassera par là**
He's passed this way   He will pass that way

23   **Je fais les courses** I'm shopping
Bonjour Monsieur, que désirez-vous?
Good morning, what would you like?
Je voudrais un paquet de chips.
I'd like a packet of crisps.
du fromage, un kilo de pommes
some cheese,   a kilo of apples
deux bananes two bananas
Avez-vous de la confiture? Have you got any jam?
Non, je n'en ai pas. No, I haven't got any.
Avez-vous des céréales? Have you any cereal?
Oui voilà et avec ça?
Yes, here you are – anything else?
Je voudrais du jambon. I'd like some ham.
six oranges, des bonbons. des oeufs
six oranges, some sweets, some eggs
des croissants chauds some hot croissants
un pot de miel a pot of honey

27   **Une petite araignée dans la gouttière**
One little spider in the gutter
Soudain il pleut, il pleut 'des cordes'
Suddenly it rains, it rains 'cats and dogs'
Une petite araignée part à tout jamais
One little spider leaves for ever

30   **À table**   Mealtime
Il est six/sept heures/midi **et demie/**demi
It's half past six/seven/twelve (midday)
J'ai faim et j'ai soif I'm hungry & I'm thirsty
Je voudrais une tranche de pain avec..
I'd like a slice of bread with …
du miel/lait froid/jus de fruit, de la glace
some honey, cold milk, fruit juice, ice-cream
un gros sandwich, chaud(e), des frites
a large sandwich, hot, some chips
du coca froid, l'eau, une tasse de thé
some cold coke, water, a cup of tea
gros biftek, du chou-fleur, salade verte
large steak, cauliflower, green salad
des pommes de terre some potatoes
de la viande, un verre de vin
some meat, a glass of wine
une tarte aux pommes, de la crème
an apple pie, some cream

33   **Tête, épaules, genoux et pieds**
Head, shoulders, knees and feet
les yeux, le nez, la bouche, les oreilles
eyes, nose, mouth, ears

36   **Parlons de moi**   Lets speak about me
Je m'appelle J'ai … ans (et demi)
I'm called   I'm …. (and a half)
J'ai trois soeurs et un demi-frère
I've got three sisters and a step/half brother
Je voudrais un walkman/un chien
I'd like a walkman/dog
J'habite à   **J'aime**   **Je n'aime pas**
I live in   I like   I don't like
le français l'histoire l'anglais les devoirs
French   history   English   homework

46   **Mes passe-temps**   My hobbies
J'ai une télé dans ma chambre
I've got a telly in my bedroom.
J'aime les feuilletons. I like soaps.
J'aime les jeux vidéo et aussi l'internet
I like video games and also the internet
J'écoute/J'aime lire les journaux/livres
I listen/I like reading newspapers/books
la mode et les CD mais je n'ai pas d'argent
fashion and CDs but I haven't any money
J'aime aller au cinéma avec mes amis
I like going to the cinema with my friends
Je suis fort en/nul en I'm good at/rubbish at
la planche à voile windsurfing
Je voudrais faire de la voile/du rugby
I'd like to go sailing/do rugby
mais je n'ai pas le temps
but I haven't the time

50   **Notre maison a cinq fenêtres**
Our house has five windows
Dix volets, une porte, 10 shutters, 1 door,
un toit, deux cheminées 1 roof, 2 chimneys
Cinq fenêtres Oui   **Neuf volets Non**
Five windows Yes   Nine shutters No

53 (cinquante-trois)

 # Vocabulaire

l' **ami**	friend	le **fromage**	cheese	le **poisson**	fish
l' **anglais**	English	le **furet**	ferret	la **pomme**	apple
l' **anniversaire**	birthday	le **genou**	knee	la pomme de terre	potato
l' **arbre**	tree	la **gomme**	rubber	le **pont**	bridge
l' **argent**	money	le **hamster**	hamster	la **porte**	door
avec	with	le **hérisson**	hedgehog	la **poule**	hen
l' **avion**	aeroplane	la **jambe**	leg	la **poupée**	doll
le **ballon**	ball	le **jambon**	ham	le **pull**	jumper
la **banane**	banana	le **jean**	jeans	la **règle**	ruler
les **baskets**	trainers	le **jeu vidéo**	video game	le **renard**	fox
le **beurre**	butter	le **jouet**	toy	la **rivière**	river
le **bois**	wood	**joyeux**	happy	la **robe**	dress
la **bouche**	mouth	la **jupe**	skirt	le **seau**	bucket
le **bras**	arm	le **jus d'orange**	orange juice	la **sœur**	sister
le **bus**	bus	le **lait**	milk	le **soleil**	sun
le **café**	coffee	le **lapin**	rabbit	la **souris**	mouse
la **campagne**	countryside	la **lecture**	reading	le **stylo**	pen
la **carotte**	carrot	les **légumes**	vegetables	la **table**	table
la **chaise**	chair	le **lièvre**	hare	le **taille-crayon**	pencil sharpener
la **chambre**	bedroom	le **livre**	book	la **taupe**	mole
le **chapeau**	hat	la **main**	hand	le **tee-shirt**	t shirt
le **chat**	cat	la **maison**	house	la **télévision**	television
chaud	hot	le **manteau**	coat	le **temps**	time
la **chaussette**	sock	la **mer**	sea	la **tête**	head
la **chaussure**	shoe	la **mère**	mother	le **thé**	tea
la **chemise**	shirt	le **meunier**	miller	la **tomate**	tomato
le **cheval**	horse	le **miel**	honey	le **train**	train
les **cheveux**	hair	la **mouette**	seagull	le **transport**	transport
le **chien**	dog	le **moulin**	windmill	la **trousse**	pencil-case
le **chou-fleur**	cauliflower	le **mouton**	sheep	la **vache**	cow
le **citron**	lemon	la **natation**	swimming	le **vélo**	bike
le **coca**	coca cola	le **nez**	nose	les **vêtements**	clothes
le **cochon**	pig	le **nombre**	number	la **voile**	sailing
la **confiture**	jam	le **nounours**	teddy	la **voiture**	car
le **corps**	body	l' **œuf**	egg	le **yaourt**	yoghurt
le **crayon**	pencil	l' **oignon**	onion	les **yeux**	eyes
la **cuisine**	kitchen	les **oreilles**	ears	les **verbes**	verbs
les **devoirs**	homework	le **pain**	bread	**J'aime**	I like
le **dos**	back	le **pantalon**	trousers	**J'ai faim**	I'm hungry
l' **eau**	water	le **papillon**	butterfly	**J'ai soif**	I'm thirsty
l' **épaule**	shoulder	le **paquet**	packet	**J'écoute**	I'm listening to
la **famille**	family	les **passe-temps**	hobby	**J'habite**	I live
la **fenêtre**	window	les **pâtes**	pasta	**Je joue**	I play
la **fleur**	flower	la **pelle**	spade	**Je mange**	I eat
la **fraise**	strawberry	le **père**	father	**Je m'appelle**	I'm called
le **français**	French	le **pied**	foot	**Je n'aime pas**	I don't like
le **frère**	brother	la **pizza**	pizza	**Je regarde**	I'm watching
les **frites**	chips	la **plage**	beach	**Je travaille**	I'm working
froid	cold	la **poire**	pear	**Je voudrais**	I'd like

Vocabulary

aeroplane	l'avion (m)	friend	l'ami (m)	ruler	la règle
apple	la pomme	hair	les cheveux	sailing	la voile
arm	le bras	ham	le jambon	sea	la mer
back	le dos	hamster	le hamster	seagull	la mouette
ball	le ballon	hand	la main	sheep	le mouton
banana	la banane	happy	heureux	shirt	la chemise
beach	la plage	hare	le lièvre	shoe	la chaussure
bedroom	la chambre	hat	le chapeau	shoulder	l'épaule (f)
bike	le vélo	head	la tête	sister	la sœur
birthday	l'anniversaire (m)	hedgehog	le hérisson	skirt	la jupe
body	le corps	hen	la poule	sock	la chaussette
book	le livre	hobby	le passe-temps	spade	la pelle
bread	le pain	homework	les devoirs	strawberry	la fraise
bridge	le pont	honey	le miel	sun	le soleil
brother	le frère	horse	le cheval	swimming	la natation
bucket	le seau	hot	chaud	tee shirt	le tee-shirt
bus	le bus	house	la maison	table	la table
butter	le beurre	jam	la confiture	tea	le thé
butterfly	le papillon	jeans	le jean	teddy	le nounours
carrot	la carotte	jumper	le pull	television	la télévision
car	la voiture	kitchen	la cuisine	time	le temps
cat	le chat	knee	le genou	tomato	la tomate
cauliflower	le chou-fleur	leg	la jambe	toy	le jouet
chair	la chaise	lemon	le citron	train	le train
cheese	le fromage	milk	le lait	trainers	les baskets
chips	les frites	miller	le meunier	tree	l'arbre (m)
clothes	les vêtements	mole	la taupe	transport	le transport
coat	le manteau	money	l'argent (m)	trousers	le pantalon
coca cola	le coca	mother	la mère	vegetables	les légumes
coffee	le café	mouse	la souris	video game	le jeu video
cold	froid	mouth	la bouche	water	l'eau (f)
countryside	la campagne	nose	le nez	windmill	le moulin
cow	la vache	number	le nombre	window	la fenêtre
dog	le chien	onion	l'oignon (m)	with	avec
doll	la poupée	orange juice	le jus d'orange	wood	le bois
door	la porte	packet	le paquet	yoghurt	le yaourt
dress	la robe	pasta	les pâtes	**verbs**	
ears	les oreilles	pear	la poire	I'm called	Je m'applle
egg	l'oeuf (m)	pencil	le crayon	I eat	Je mange
English	l'anglais	pencil sharpener	le taille-crayon	I'm hungry	J'ai faim
eyes	les yeux (m)	pen	le stylo	I like	J'aime
family	la famille	pencil case	la trousse	I don't like	Je n'aime pas
father	le père	pig	le cochon	I'd like	Je voudrais
ferret	le furet	pizza	la pizza	I live	J'habite
fish	le poisson	potato	la pomme de terre	I listen to	J'écoute
flower	la fleur	rabbit	le lapin	I play	Je joue
foot	le pied	reading	la lecture	I'm thirsty	J'ai soif
fox	le renard	river	la rivière	I'm watching	Je regarde
French	le français	rubber	la gomme	I'm working	Je travaille

Answers to Skoldo Book One

2 o a e   o i   a o   i   i o e
violet orange gris marron noir orange

4 three red strawberries   two green books
four blue jumpers   five yellow skirts
one brown hamster
neuf sept dix huit

5 ten orange flowers
seven pink ice-creams
nine blue pencils
eight yellow lemons
six purple butterflies
douze quatorze treize seize

11 la chemise   la jupe   le jean   le pull

12 la basket   la chaussette   le tee-shirt
le pantalon   la chaussure

14 pain fromage confiture beurre lait
le beurre   le pain   la confiture

15 miel yaourt frites oeuf pâtes
les pâtes   le miel   les frites   l'oeuf

16 I go riding in Caen.
I go skiing in Chamonix.
I go canoeing in Sarlat.
I go sailing in Bordeaux.
I visit 'châteaux' in Angers.

21 the orange cat   the black dog   the red fish
the grey rabbit   the brown hamster
le poisson rouge   le chien noir   le lapin gris
le chat orange   le hamster marron

22 dix huit neuf
la vache noire et blanche le cochon rose
la poule grise

24 la banane   la poire   le citron   la fraise
la pomme

25 le chou   le chou-fleur   les petits-pois
la carotte
douze petits-pois   neuf pommes de terre
quatre choux   huit carottes
cinq choux-fleurs
poire carotte fraise

28 I know how to speak French.
What colour is the skirt?   The skirt is yellow.
What colour is the strawberry?   red
What colour is the jumper?   The jumper is green.
How many dogs are there? There are five.
How many shirts are there? There are three.
How many pigs are there? There are four.
What's your name?   I'm called Luc.
What's your name?   I'm called Anne.
How old are you?   I'm nine.
How old are you?   I'm eight.
Where do you live?   I live in London.
Where do you live?   I live in Paris.

31 Pierre has one nose.✓ Pierre has three ears. ✗
Pierre has two mouths.✗ Pierre has two eyes.✓
Pierre has four heads.✗
C'est une oreille.   C'est une bouche.
C'est un nez.

32 I have three feet. ✗ I have two arms. ✓
I have two legs. ✓ I have four hands. ✗
I have one head. ✓
C'est une main.   C'est un bras.
C'est une jambe.

34 la cuisine   la télévision   la natation
le football   la lecture

35 Il y en a dix-huit.   Il y en a douze.
Il y en a seize.   Il y en a sept.
o u o u   i e   e u   o u é e   a o

38 What colour is the ball?   red and white
What colour is the sea? blue
Count up to ten 1 2 3 4 5 6 7 8 9 10
Hello Luc! How are you? I'm fine thanks.
What's your name?   I'm called Camille.
How old are you? I'm nine.
Where do you live? I live in London.
What is it? It's a book.
Do you like swimming? Yes, I like swimming.
Do you like cooking? No, I don't like cooking.
How many apples are there? There are eight.

40 Il y a beaucoup de papillons roses.
Il y a beaucoup de fleurs jaunes.
Il y a beaucoup d'arbres verts.

41 Il y a beaucoup de taupes noires.
Il y a beaucoup de hérissons marron.
Il y a beaucoup de souris blanches.

43 m pl m m pl m m m m m f m pl f pl f
pl m pl m m

quatre mouettes   huit seaux   cinq renards
neuf fleurs   trois papillons

44 un avion bleu/un bus jaune/une voiture rouge
un vélo rouge/un train violet/un avion vert

48 C'est une table jaune.   C'est une fenêtre
blanche. C'est une chaise verte.
chaise maison fenêtre table porte

49 Martin est le père de Tom et Laura.
Claire est la mère de Tom et Laura.
Laura est la soeur de Tom. Tom est le frère de Laura.
la soeur le frère la famille la mere le père

51 C'est une tasse de café.   C'est une bouteille
d'eau.   C'est un verre de limonade.
eau coca café thé vin

52 Les stylos sont jaunes. Les règles sont longues.
Les crayons sont rouges.   Les stylos sont bleus.
Les gommes sont blanches.

3e le stylo 1d le crayon 3b les ciseaux
1a la gomme 3a la règle